Roedd y Dewin Doeth wedi diflasu.
Doedd ganddo ddim i'w wneud.
O, roedd yn teimlo'n ddiflas.

Roedd wedi chwarae pêl, wedi
gwneud jig-so ac wedi darllen llyfr.

"Hoffwn gael antur,"
meddyliodd y Dewin Doeth,
"antur go iawn."

Edrychodd ar lun llong ar y wal.
"Hoffwn gael antur mewn llong.
Byddai hynny'n hwyl."

Gwisgodd het môr-leidr ar ei ben
ac esgidiau mawr du am ei draed.

Rhoddodd ddarn o ddefnydd dros
ei lygad.
"Rydw i'n edrych yn union fel môr-leidr,"
meddai'n falch.

Aeth i lawr at yr afon.
Roedd cwch bach yno.
Cwch bach coch.

Yn ofalus iawn, mentrodd i mewn
i'r cwch.
"Hei ho!" gwaeddodd.

"Beth mae'r Dewin Doeth yn ei wneud," meddyliodd Mursen. "Fi yw'r môr-leidr peryglus, Dewi Poeth!" meddai'r dewin.

"Wyt ti am ddod ar antur, Mursen?"
gofynnodd.
"Mae angen cath yn y cwch i ddal
llygod."

Yn betrusgar iawn, aeth Mursen
i mewn i'r cwch.
Cafodd hithau ddarn o ddefnydd dros
ei llygad a chadach môr-leidr.

Dechreuodd fwrw glaw.
"Hei, mae storm ar y gorwel!"
gwaeddodd Dewi Poeth.

Hwyliodd y cwch i lawr yr afon.
Aeth y cwch yn gynt ac yn gynt.
Roedd ofn ar Mursen druan.

Roedd ofn ar y Dewin Doeth hefyd. "Dydw i ddim yn hoffi bod yn fôr-leidr," meddai.

Gwelodd y Dewin Doeth y Dewin Dwl
ar y lan.
"Dewin Dwl! Help! Help!"
Edrychodd y Dewin Dwl mewn syndod
ar y ddau yn y cwch.

Taflodd raff atynt. Tynnodd a
thynnodd a'u helpu i'r lan.
A dyna ddiwedd antur fawr
Dewi Poeth a'i gath.